せがわ せつこ キルトの世界-IV
QUILT ART of JAPAN

せがわ せつこ キルトの世界-IV

QUILT ART of JAPAN

by Setsuko Segawa

Published by Mitsumura Suiko Shoin

Japan

せがわせつこ 著

光村推古書院刊

JAPANESE QUILT ART—IV
QUILT ART of JAPAN

First edition July 1991 by Mitsumura Suiko Shoin Publishing Co., Ltd.
Shinsantora Bldg. 4F Omiya-dori Shijo-sagaru
Shimogyo-ku, Kyoto 600 Japan
Translation : Janice Brown & Michiko Takagi
Editor : Setsuko Segawa
©1991 Setsuko Segawa Printed in Japan

ISBN4-8381-0112-0

目　次
CONTENTS

Foreword —————— Caril Shenkel ————— 8
序　文　　　　　　カリル・シェンケル

はじめに ——————— せがわせつこ————— 12
Preface　　　　　　Setsuko Segawa

カラー図版
Color Plates

❶竹　林 ————————————————— 15
　Bamboo Grove
　Forêt de Bambou

❷冬の香り —————————————— 16
　Winter Fragrance
　Parfum d'Hiver

❸梅香る ——————————————— 17
　Plum Blossom Fragrance
　Parfum de Fleurs de Prunier

❹静夜の円舞曲 II ——————————— 18
　Waltz in the Silent Night II
　Valse dans la Nuit Silencieuse II

❺部　分 ——————————————— 19
　detail
　détail

❻静夜の円舞曲 III ——————————— 20
　Waltz in the Silent Night III
　Valse dans la Nuit Silencieuse III

❼春の宵 ——————————————— 22
　An Evening in Spring
　Soirée de Printemps

❽白　藤 ——————————————— 23
　White Wisteria
　Glycine Blanche

❾日本の四季 ——————————— 24
Four Seasons in Japan
Les Quatre Saisons au Japon

❿季節の分水嶺を越えて ————— 25
Crossing Over the Seasonal Divide
Traversée de l'Intersaison

⓫岩肌に伸びたツタ ——————— 26
Ivy Trailing Over the Cliff Face
Lierre Rampant sur la Falaise

⓬夕暮れの岸辺 ————————— 27
Evening Shore
Rivage le Soir

⓭白牡丹 ———————————— 28
White Peonies
Pivoines Blanches

⓮部　分 ——————————— 29
detail
détail

⓯秋風のバラード ——————— 31
Autumn Wind Ballade
Ballade du Vent d'Automne

⓰弥生の月 —————————— 32
Spring Moon
Lune au Printemps

⓱ノスタルジアJAPAN —————— 33
Nostalgia for Japan
Nostalgie du Japon

⓲着物―蒲 —————————— 34
Kimono : Cattails
Kimono : Massettes

⓳部　分 ——————————— 35
detail
détail

⓴着物―光 —————————— 36
Kimono : Rays of Light
Kimono : Rais de Lumière

㉑光雲流水 —————————— 37
Glowing Clouds and Flowing Water
Nuages Brillants et Eau Coulante

㉒幽遠への誘い　I ——————— 38
Invitation to Eternity　I
Invitation à l'Éternité　I

㉓幽遠への誘い　II ——————— 39
Invitation to Eternity II
Invitation à l'Éternité II

㉔扇面 I ―鳥 ————————— 40
Folding Fan I : Birds
Éventail Pliant I : Oiseaux

㉕扇面 II ―花 ————————— 41
Folding Fan II : Flowers
Éventail Pliant II : Fleurs

㉖扇面 III ―鶴 ———————— 42
Folding Fan III : Cranes
Éventail Pliant III : Grues

㉗扇面 IV ―鶴 ———————— 43
Folding Fan IV : Cranes
Éventail Pliant IV : Grues

㉘想　い ——————————— 44
Thoughts
Pensées

㉙浪漫を求めて ———————— 47
Looking for the Romantic
Ã la Recherche du Romantique

㉚乱気流の中で ———————— 48
In the Midst of Turbulence
Au Milieu de la Turbulence

㉛部　分 ——————————— 49
detail
détail

㉜大空への誘い ———————— 50
Invitation to the Blue Sky
Invitation au Ciel Bleu

❸❸彷徨う群れ ——————————— 51
Wandering Flock
Bande Errante

❸❹大空のランデブー ——————— 52
Rendezvous in the Sky
Rendez-vous dans le Ciel

❸❺リ ズ ム ————————————— 53
Rhythms
Rythmes

❸❻深海の囁き ——————————— 54
Whispering of the Deep Sea
Murmure de la Mer Profonde

❸❼部　分 ——————————————— 55
detail
détail

❸❽未知との遭遇 II ——————— 56
Meeting the Unknown II
Rencontrer l'Inconnu II

❸❾ウェーブ ——————————————— 57
Waves
Vagues

❹⓪或る日の回想 ——————————— 59
Recollection of One Day
Souvenir d'un Jour

❹❶星空からのメッセージ ————— 60
Message from the Starry Sky
Message du Ciel Étoilé

❹❷α海溝の探検 ——————————— 61
Expedition to the Alpha Trench
Expédition à Alpha Abysse

❹❸大空へ挑む ——————————— 62
Challenge to the Blue Sky
Défi au Ciel Bleu

❹❹部　分 ——————————————— 63
detail
détail

❹❺ディスコに行った日 ——————— 64
The Day I Went to the Disco
Le Jour où Je Suis Allé à la Disco

❹❻契　り ——————————————— 65
Vow
Vœu

❹❼将来の展望 ——————————— 66
Future View
Vision du Futur

❹❽部　分 ——————————————— 67
detail
détail

❹❾神秘なる蒼い谷 ——————— 68
Mysterious Blue Valley
Mystérieuse Vallée Bleue

❺⓪部　分 ——————————————— 69
detail
détail

❺❶緑の館の謎 I ——————————— 70
The Riddle of the Green Mansion I
Énigme du Château Vert I

❺❷緑の館の謎 II —————————— 71
The Riddle of the Green Mansion II
Énigme du Château Vert II

❺❸出逢いと戸惑い ——————— 72
Meeting and Disorientation
Rencontre et Désorientation

作品解説 ——————————————— 73
About the works —————————— 78

あとがき

制作協力

作品のサイズはヨコ×タテです。

Foreword

Caril Shenkel

Quilt artist Setsuko Segawa encountered American quilting for the first time in New York in 1969. Her experience with quilting at that time helped her develop the style of expression which she utilizes in her quilt making today. This encounter with American quilts led her to decide that she would prefer to express herself as an artist through fabric rather than painting. At that time, she had no knowledge of the basic techniques of quilting, such as sewing or embroidery. She obtained these skills by reading American quilt books with the help of a dictionary. In 1975, she began producing quilts as wall-hangings, a variation from the regular handicraft of quilting. She was less interested in quilts for their function as attractive bed covers, than as a medium to create an original art form of her own. The quilts she produced after this time were the beginning of the art form she developed, called "art quilting".

For 10 years she gave workshops in various places in Japan, but had little success gaining recognition. She followed a path which she felt opening within herself and had little communication with other quilters. Some felt she was overly sensitive about her quilting and odd in her desire to go a different way. Because of this she even had difficulty in finding places to exhibit her work. But gradually, people began to understand and appreciate her works and the quilt also began to sell. After exhibiting at the Ginza Art Hall and the Seibu Habita Gallery in Tokyo, she gained a large following and wide recognition leading to her status today as a premier artist of a new and original art form.

Setsuko Segawa has developed a special process to produce her quilts. She had many quilt concepts which she wanted to express, but by herself she could only produce about four quilts in a year. So, she worked on developing new techniques and design concepts to overcome her production limitations. Feeling that the manual work of sewing could be done by anyone who had mastered the basic technique, she chose 60 sewing technicians who could reproduce her quilt designs. By assigning each a quilt project, she could produce 60 quilts at one time. This staff of technicians can reproduce her designs flawlessly. A common trust exists between her and her staff because of a mutual recognition of talent and ability. During production, Setsuko Segawa can keep the details of each of the 60 quilts in her head. If there are any changes in the way a quilt is being produced by a technician, she can tell right away. She draws the design of each of the quilts in their actual size on paper and assigns a number for each color in the pattern to guide her staff. The only person who understands the total effect of a design before it is actually produced is Setsuko herself.

Setsuko has a large collection of quilts which she has gathered from all over Japan including silk quilts, cotton quilts and antique quilts from which she draws inspiration. Her own quilts utilize appliqué and traditional motifs as well as special shapes to make borders. These are only some of the unique elements which give her quilts an original appeal. In recent years, she has started to use an air brush technique as well as acrylic colors on white fabric to bring out luster in her quilts. Parts of the appliqué in some of her quilts use silver and gold in such a way as to give the effect of airiness or flying in the sky. In addition, the utilization of quilted lines in wave formations promotes an effect of flowing movement. A rich sense of color pervades Setsuko's quilts and is inspired by her exposure to nature in Japan. Her works are reminiscent of Japanese screen paintings from the Momoyama period (1573-1615, a period of opulent expression in Japan). However, Setsuko's works are not all filled with classical images of Japan. Also present are contemporary designs, geometrical patterns and techniques which mix traditional patterns, and abstract images. All of these varied forms of imagery spring from her memories, her imagination, or directly from her emotional state. Reproductions of sketches she has done of natural settings can also be found among her works.

Setsuko Segawa has held workshops in both Japan and the United States and has been interviewed for newspapers, television, and magazines. She has a combined sense of poetry and business, which leaves her full of ideas wich she wishes to express practically. She has designed in other fields besides quilting and she is also a professional interior designer. She currently lives in California and because of her sensitivity to her environment, Setsuko feels that living here will affect her way of thinking and expression, hence transforming her art.

She is doing projects with American contemporary quilt artists and is working on a book "New Wave and Contemporary Quilt Art". She has plans for doing a related exhibit in 1991 in which 15 American artists will be featured with Setsuko. She is also working on plans to develop exhibits with top international artists from various countries.

Setsuko has held her own exhibits outside of Japan at Foyles Gallery in London,1986, in France, and recently in California, among others. She will exhibit in Ottawa, Canada in June of 1991. Since 1985, five books including this one have been published about her works by Mitsumura Suiko Shoin in Kyoto. Steadily, Setsuko Segawa is building a legacy with new ideas and unique designs. Her sharp powers of observation and inner sensitivity, as shown by her work and her writing about her works, testify to the creativity of a great artist whose major goal is to develop a poignantly expressive new art form, "art quilting".

序　文

カリル・シェンケル

キルトアーティストせがわせつこが、初めてアメリカンキルトに出会ったのは、1969年ニューヨークでのことだった。当時のキルトにまつわる経験が、今日彼女がキルト制作に用いている表現スタイルを創り出す一助となった。アメリカンキルトとの出会いは、絵画よりむしろファブリックによるアーティストとしての自己表現を彼女に決意させたのだった。

当時の彼女には、縫ったり、刺繍を施すというようなキルトの基礎的なテクニックについての知識は全くなかった。彼女はこういった技術を、辞書を片手にアメリカンキルトの出版物を読むことによって習得し、1975年には標準的なハンドクラフトキルトの壁掛を創り始めた。

彼女は美しいベッドカバー用のキルトには興味がなく、むしろ自分自身のオリジナルなアートフォームを創造する手段としてキルトに興味を抱いていたのである。これ以後制作されたキルトは、いわゆる「アートキルティング」として彼女が発展させたアートフォームの始まりであった。

10年間にわたって彼女は日本各地でワークショップを開いたが、一部にしか認められなかった。彼女は自らが信じた道をたどり、他のキルト制作者と交流することはほとんどなかった。彼女が自分のキルトについてあまりに神経質で、他とは違った方向を目指すのを、いぶかしく感じる人もいた。

こうしたわけで、彼女は自分の作品を展示する場所を見つけることすら難しかった。しかし時が経つにつれて、人々は彼女の作品を理解し、評価し始めキルトは売れ出した。東京の銀座アートホールと、西武ハビタギャラリーでのエキビジション以降、彼女は多くの支持者を得て広く認められ、新しい独創的なアートフォームの第一人者としての今日の地位を築くこととなった。

せがわせつこはキルト制作における特別のプロセスを工夫してきた。キルトにより表現したいコンセプトはたくさんあるのに、彼女一人では一年間に4点ほどのキルトを制作するのがやっとだった。そこで彼女は制作上の限界を克服するため、新しいテクニックとデザインコンセプトを創り出すことに取り組んだ。縫うという手作業は基礎的なテクニックを習得した人なら誰でもできると思えたので、彼女は自分のキルトデザインを再現できる60人のソーイングテクニシャンを選んだ。一人にひとつのキルトプロジェクトを割り当てることによって、一度に60のキルトを制作することが可能になった。この技術スタッフは彼女のデザインを完全に再現することができる。互いに才能と能力を認めあうことで、彼女とスタッフの間には共通の信頼感が存在している。

制作中せがわせつこの脳裏には、60のキルトそれぞれのディテールが焼きついていて、技術者の制作手法になんらかの相違があれば、すぐさま指摘できるのである。

彼女は紙に実寸でそれぞれのキルトのデザインを描き、スタッフのためにパターンの色ごとに番号をつけている。キルトが実際に制作されるまで、全体的なデザイン

の効果を理解しているのは、せがわせつこだけなのである。せがわせつこは日本中から集めたシルクキルト、コットンキルト、アンティークキルトなど膨大なコレクションを持っていて、そこから着想を得ている。彼女自身のキルトではアップリケや伝統的モチーフと同じように、縁取りの特別な形が用いられる。これらは彼女のキルトならではの魅力を生み出すユニークな要素の一例である。最近ではエアーブラシのほか、白い布地の上のアクリル色を用いて作品に光沢感を生み出したりしている。いくつかの作品では、アップリケの一部に軽快さや飛翔感を与えるようシルバーとゴールドが使われている。さらに、波形模様の縫い込みで流れるような動きの効果も出したりもしている。彼女のキルトに満ち溢れている豊かな色彩感覚、それは日本の自然を感受することによって育まれたものである。彼女の作品は、桃山時代(1573-1615,日本における輝かしい表現の時代)の障壁画を偲ばせる。しかしながら、日本の古典的イメージに満ちているだけではなく、コンテンポラリーデザインや幾何学パターン、そして伝統的パターンと抽象的イメージを融合した技法などを見せている。こういった様々なイメージの形態は、すべて彼女の記憶や想像力、また感情そのものから直接ほとばしりでたものである。作品の中には自然の情景を描いたスケッチを再現したものもある。せがわせつこは日米両国でワークショップを開き、新聞、テレビ、雑誌のインタビューを受けたりしている。彼女は詩のセンスとビジネスセンスを兼ね備え、溢れるアイデアを実際に表現しようとしている。彼女はキルト以外の分野でもデザイン活動に携わっており、プロのインテリアデザイナーでもある。

現在、彼女はカリフォルニアに住んでいるが、環境に対する感受性から、そこでの生活が考え方や表現方法に影響を与え自分のアートを変容させるのではないかと感じている。

彼女はアメリカの現代キルトアーティスト達とプロジェクトをすすめ「ニューウェーブ・アンド・コンテンポラリー・キルトアート」の出版に取り組んでいる。また15人のアメリカ人アーティスト達と共に関連のエグゼビットを1991年に開く計画を進めている。更に彼女は様々な国のトップ・インターナショナル・アーティストとのエグゼビットも計画中である。

せがわせつこは日本以外でも、1986年にロンドンのフォイルズギャラリー、フランス、そして最近ではカリフォルニアで自分自身のエグゼビットを開いた。さらに、1991年6月にはカナダのオタワでも予定されている。

1985年以来、本書を含めて5冊の作品集が京都の光村推古書院から出版された。せがわせつこは着実に新しいアイデアとユニークなデザインによる作品群を残しつつある。その作品や作品についての著述からうかがえる鋭い観察力と内的感性は、一人の偉大な芸術家の創造性を立証する。

彼女が目指すのは、鋭敏な表現力を備えた新しいアートフォーム「アートキルティング」を発展させることなのである。

はじめに

せがわ　せつこ

五月のある日、岬の海に夕陽が沈むのを見たいと思い、私はでかけて行った。

海が夕陽に染まるまでのプロセスと海鳥達を撮るために、シャッターを押しつづける。やがて、夕陽が沈み、あたりが暗くなり始めると、岬の燈台のまわりを飛んでいた鳥達も何処へと消え去って行った。私は風の冷たさでふるえが止まらず、車に戻ると暖房を入れてもらい、毛布を覆った。しばらく、私は何も言葉を出さなかった。あの興奮したきんちょう感がまだ私の脳裏をうずまいていたから————。

カリフォルニア州ブレアのスタジオへ戻ると、私は布を染め始め、食事するのさえ忘れていた。このように私は、感動するものに出会うと、食を忘れ、眠りも忘れてしまう。何か感動するものに出会うたび、私の作風は少しずつ変化し、感じたことを表現したいがために悩んだり、考え込んだりもする。私の心の中にある何かが私を駆り立てたり、谷底に突き落としたり、また、這い上がらせる。私は何回となく、このようなターニングポイントに立ち、しばらく座り込んでは何もなかったような顔をして、再び歩き続けている。

このチョイスした道を————。

いつになれば、この旅は終わるのだろうかと、ふと考えもするが、自分でチョイスした道を歩くのを、エンジョイしている。

しかし、この道を歩いて行くには体力と精神力が必要である。私は38キロの体重をコントロールしながら、これからもこの道を歩きつづけるだろう。一人の人間の生き方としてトライしてゆくだろう————。

PREFACE

Setsuko Segawa

On a day in May I wanted to see the setting sun over the sea at the headland, and so I went there. In order to follow the course of the sun as it set over the water and also to record the flight of the seabirds, I kept pressing the shutter on my camera. Finally, when the sun had set and darkness began to fall, the birds flying about the lighthouse on the cape disappeared somewhere. Unable to stop shivering in the cold wind, I returned to the car, turned on the heater, and wrapped myself in a blanket. I didn't speak a word for a while because that tense, excited feeling was still swirling through my brain.

When I returned to the Brea studio in California, I began to dye cloth, and I was even forgetting to eat. When I find something that inspires me, I forget eating and sleeping; my artistic style gradually undergoes a change, and I brood and worry about how to express what I have felt. Whatever is in my heart urges me on, pushes me into a deep ravine, and again makes me crawl back up. Many times I've stood at such a turning point; I sit down and think for a while, and sit and think, and then I resume walking again. Along the road of my choice.

I suddenly wonder when this journey will end, but I do enjoy walking along my chosen path. However, I need mental and physical strength to walk along this road; I keep my weight at thirty-eight kilograms. I will probably continue on this path from now on. I must continue to try hard to live my life as one human being.

❶竹　林
Bamboo Grove
Forêt de Bambou
140×190cm

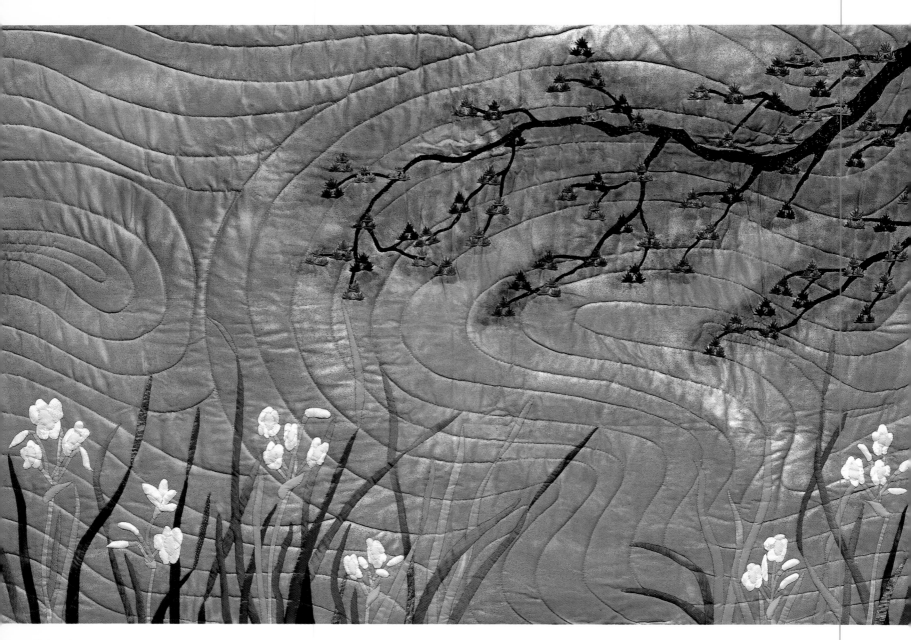

❷冬の香り
Winter Fragrance
Parfum d'Hiver
180×122cm

❸梅香る
Plum Blossom Fragrance
Parfum de Fleurs de Prunier
106×140cm

❹静夜の円舞曲 II
Waltz in the Silent Night II
Valse dans la Nuit Silencieuse II
200×200㎝

❺部　分
detail
détail

❻静夜の円舞曲 Ⅲ
Waltz in the Silent Night Ⅲ
Valse dans la Nuit Silencieuse Ⅲ
208×208cm

❼春の宵
An Evening in Spring
Soirée de Printemps
172×171cm

❽白　藤
White Wisteria
Glycine Blanche
145×140cm

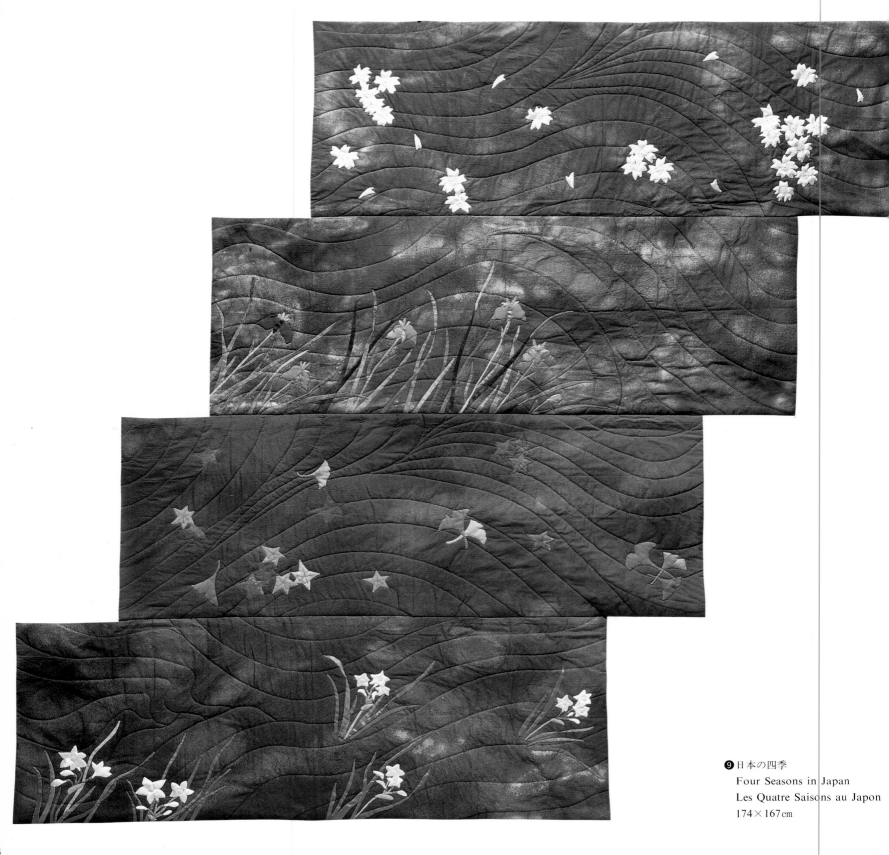

❾日本の四季
Four Seasons in Japan
Les Quatre Saisons au Japon
174×167cm

❿季節の分水嶺を越えて
Crossing Over the Seasonal Divide
Traversée de l'Intersaison
146×143cm

25

⓫岩肌に伸びたツタ
Ivy Trailing Over the Cliff Face
Lierre Rampant sur la Falaise
147×147cm

⓬夕暮れの岸辺
Evening Shore
Rivage la Soir
213×161cm

❸白牡丹
White Peonies
Pivoines Blanches
155×140㎝

秋風のバラード

秋の満月の夜は

自然が奏でるリリカルなアート

月の光と風の遊泳も

美しい秋風のバラードになる——

Autumn Wind Ballade

Full moon on an autumn night

nature's lyrical art

Moonlight and fleeting wind

together make a

beautiful autumn wind ballade.

⑮秋風のバラード
Autumn Wind Ballade
Ballade du Vent d'Automne
147×147 cm

❻弥生の月
Spring Moon
Lune au Printemps
148×143cm

⑰ ノスタルジアJAPAN
Nostalgia for Japan
Nostalgie du Japon
163×262cm

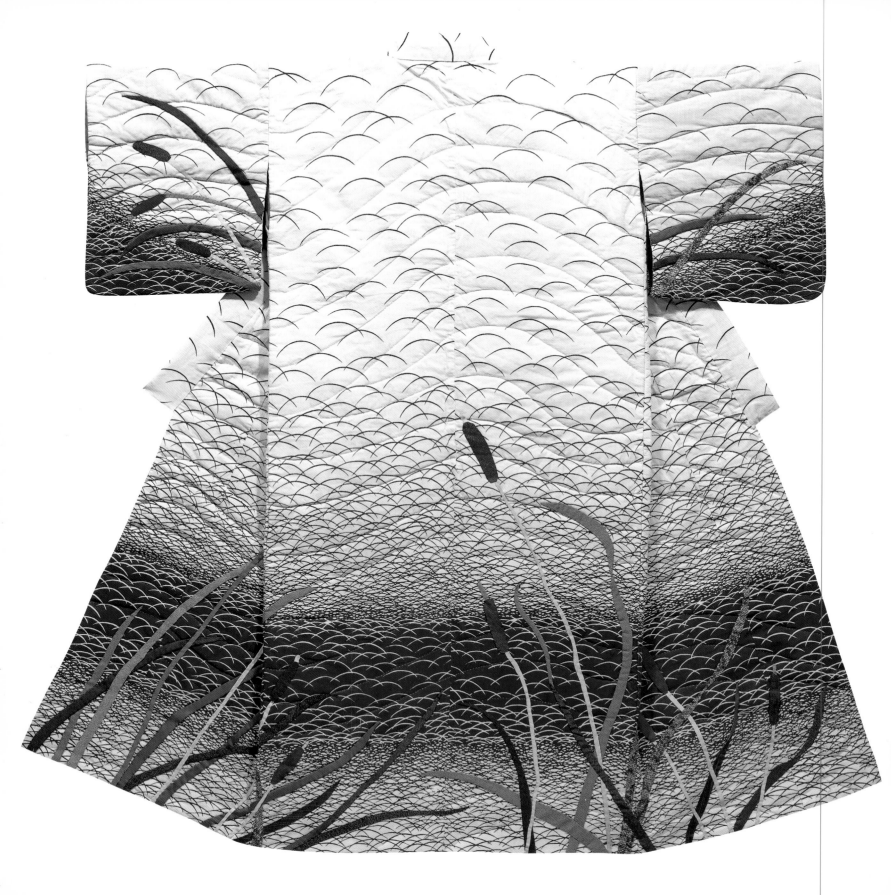

⓲ 着物──蒲
Kimono : Cattails
Kimono : Massettes
130×140cm

⓳ 部 分
detail
détail

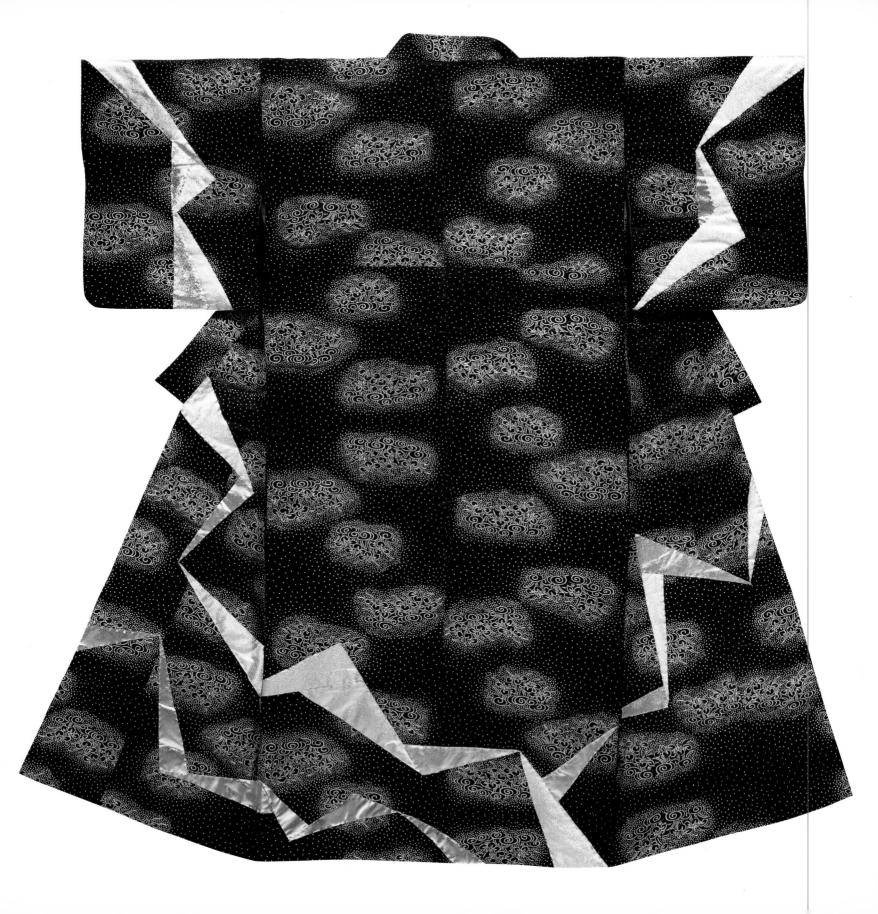

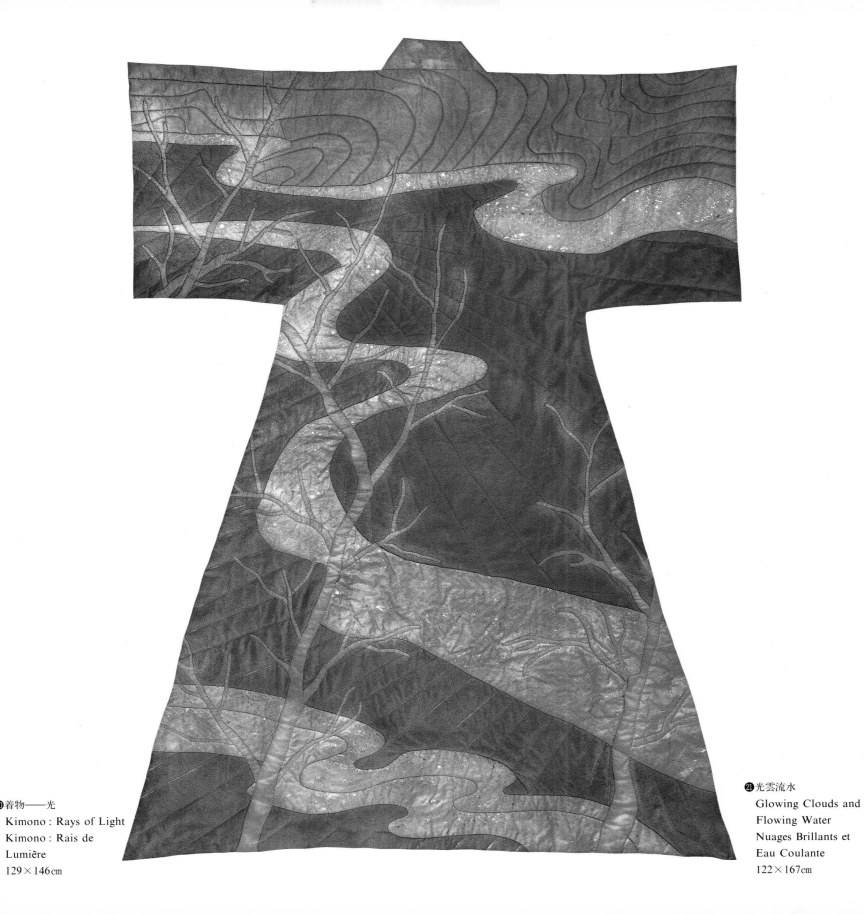

⑳着物——光
Kimono : Rays of Light
Kimono : Rais de
Lumière
129×146cm

㉑光雲流水
Glowing Clouds and
Flowing Water
Nuages Brillants et
Eau Coulante
122×167cm

㉒幽遠への誘い Ⅰ
Invitation to Etern
Invitation à l'Étern
131×142cm

❷❸幽遠への誘い Ⅱ
Invitation to Eternity Ⅱ
Invitation à l'Éternité Ⅱ
148×144cm

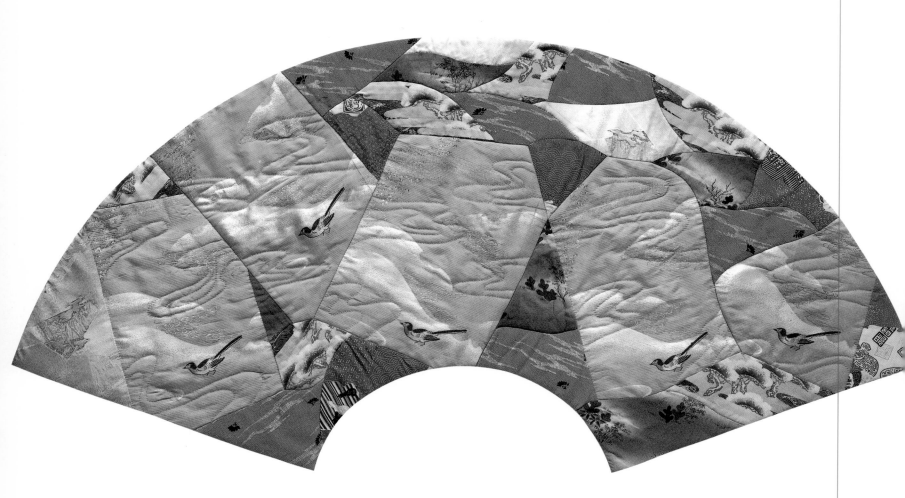

㉔扇面Ⅰ——鳥
Folding Fan I : Birds
Éventail Pliant I : Oiseaux
163×81cm

㉕扇面Ⅱ──花
Folding Fan Ⅱ : Flowers
Éventail Pliant Ⅱ : Fleurs
170×114cm

㉖扇面Ⅲ──鶴
Folding Fan Ⅲ : Cranes
Éventail Pliant Ⅲ : Grues
172×113cm

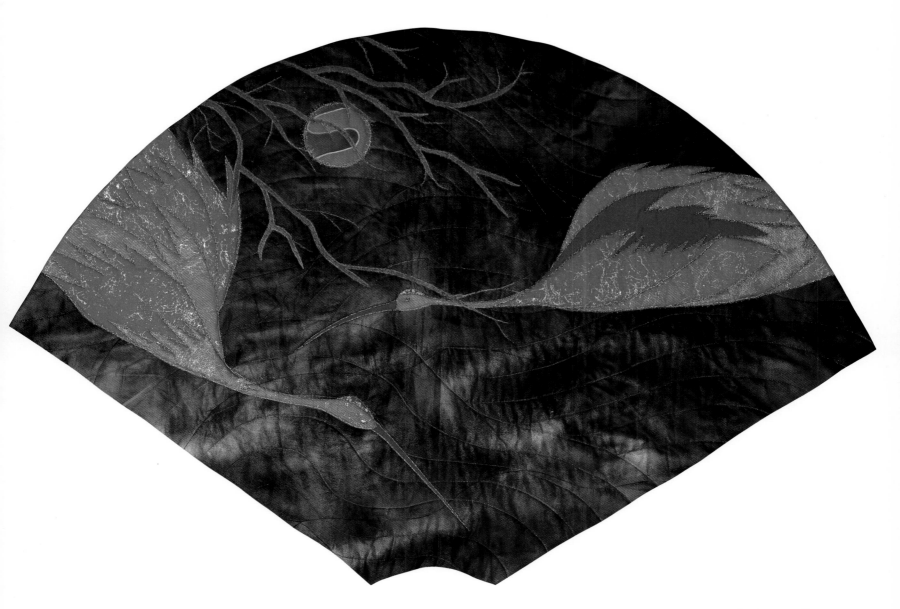

㉗ 扇面IV——鹤
Folding Fan IV : Cranes
Éventail Pliant IV : Grues
170×112cm

㉘想 い
Thoughts
Pensées
142×93cm

浪漫を求めて

自分の中の未知数を求めて

旅へ出た──

さまざまな出逢いの中で

人は喜び、傷つきながらも

　　　　　　　　　旅をつづける──

かりたてる心がある限り

歩きつづけるだろう──

Looking for the Romantic

Looking for an unknown part of myself

I left on a journey ──

In my many encounters

I found people who were happy

*　and those who had been hurt*

yet I continue my Journey ──

As long as my heart urges me on

I will continue walking ──

❷⑨浪漫を求めて
Looking for the Romantic
À la Recherche du Romantique
144×142cm

❸⓿乱気流の中で
In the Midst of Turbulence
Au Milieu de la Turbulence
148×146cm

❸❶部　分
detail
détail

❷大空への誘い

Invitation to the Blue Sky

Invitation au Ciel Bleu

148×149 cm

❸❺リズム
Rhythms
Rythmes
154×133cm

❸❹大空のランデブー
Rendezvous in the Sky
Rendez-vous dans le Ciel
148×144cm

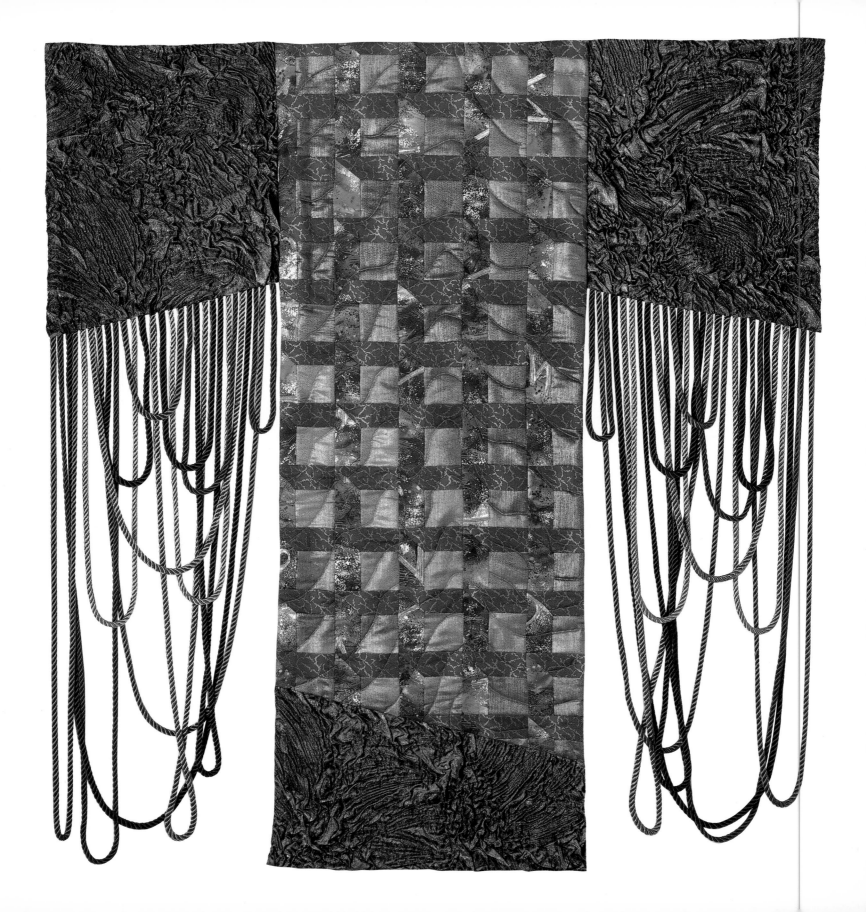

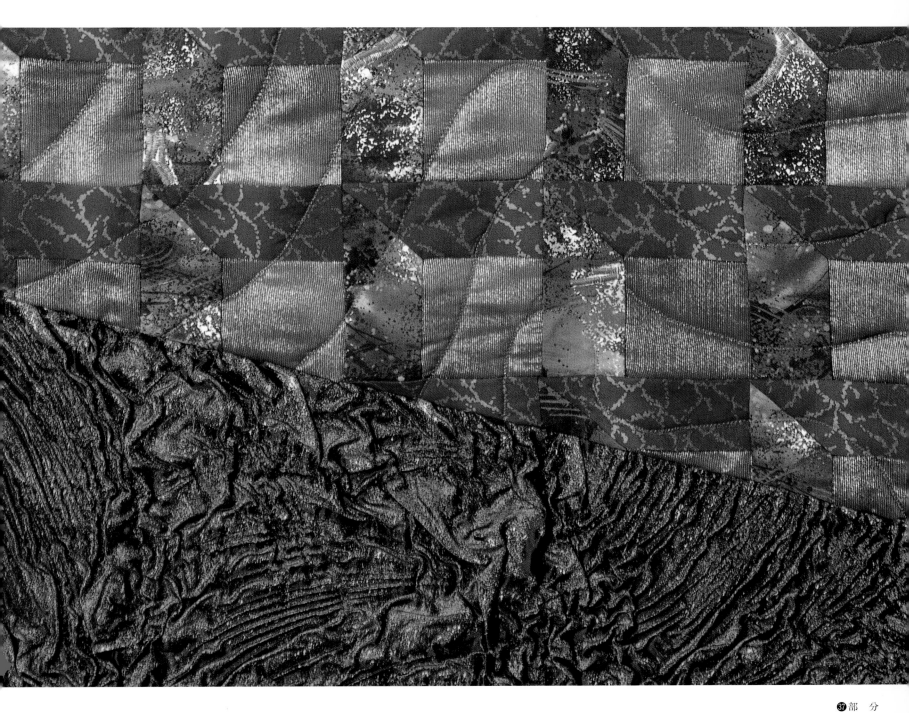

㊱深海の囁き
Whispering of the Deep Sea
Murmure de la Mer Profonde
150×164cm

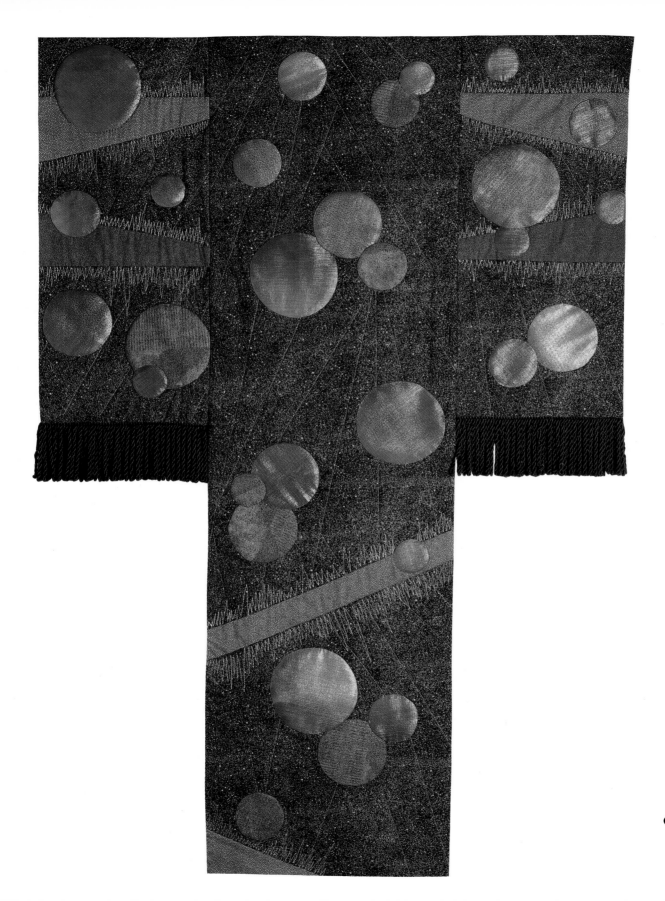

㊳ 未知との遭遇 II
Meeting the Unknown II
Rencontrer l'Inconnu II
119×177cm

56

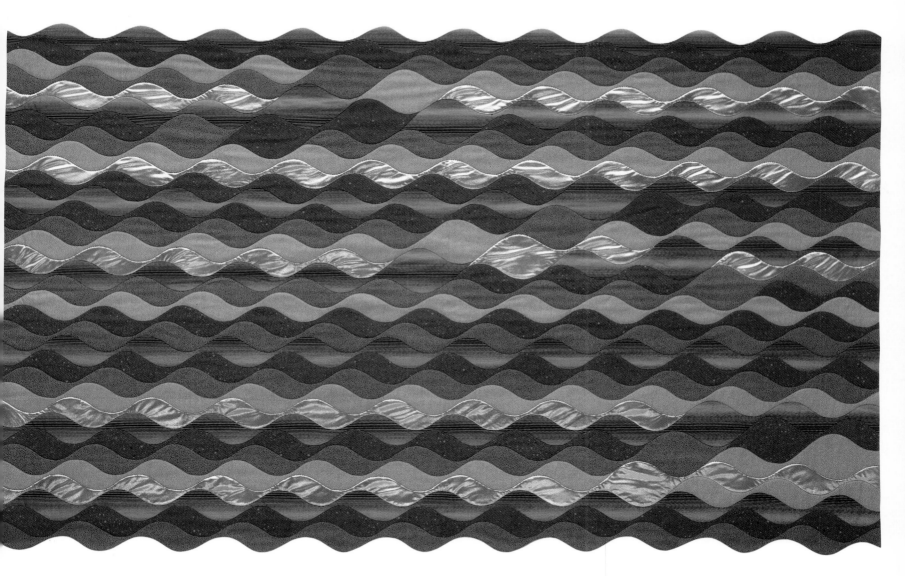

㊴ ウェーブ
Waves
Vagues
160×97cm

或る目の回想

じっと耳をすませて

潮騒の音を聞きながら

忘れかけていた記憶を

すこーしずつ　つないで

おもむろに想い出してゆく――

Recollection of One Day

As I listened intently,

I heard the murmuring of the rising tide

and, little by little, bringing together memories

I had begun to forget.

I gradually remember ――

❹或る目の回想
Recollection of One Day
Souvenir d'un Jour
148×105cm

❹ 星空からのメッセージ
Message from the Starry Sky
Message du Ciel Étoilé
98×138 cm

❹ α海溝の探検
Expedition to the Alpha Trench
Expédition à Alpha Abysse
208×208 cm

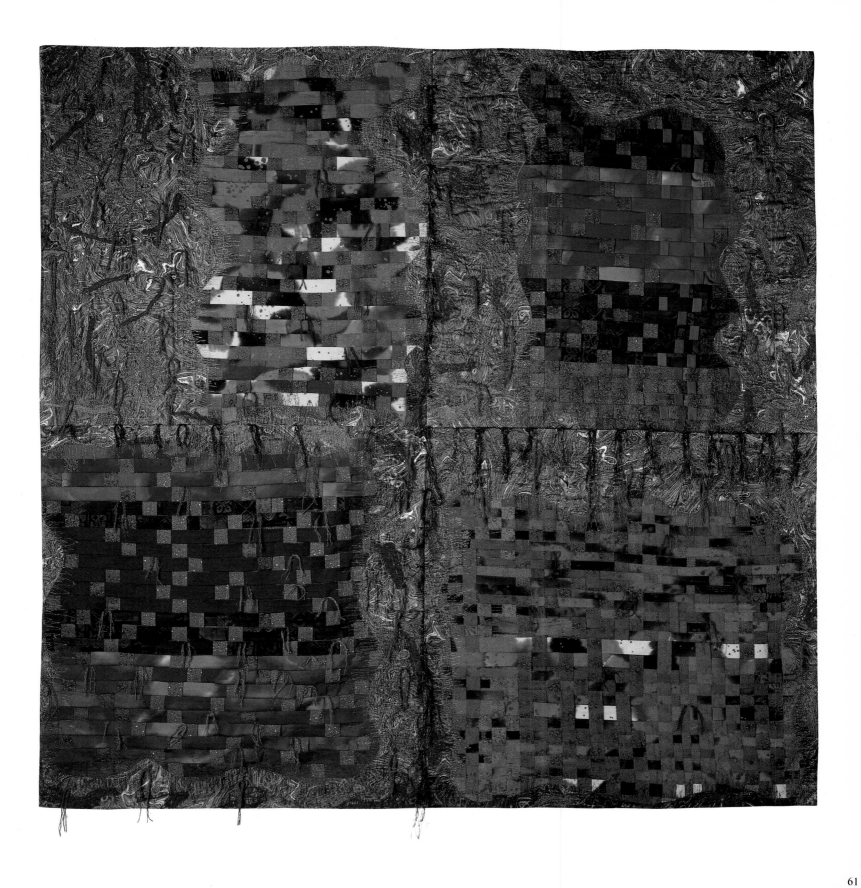

❹大空へ挑む
Challenge to the Blue Sky
Défi au Ciel Bleu
146×143cm

❹部　分
detail
détail

❹⑤ディスコに行った日
The Day I Went to the Disco
Le Jour où Je Suis Allé à la Disco
147×151cm

㊻契り
Vow
Vœu
146×142 cm

❹将来の展望
Future View
Vision du Futur
81×86cm

❽部　分
detail
détail

㊾神秘なる蒼い谷
Mysterious Blue Valley
Mystérieuse Vallée Bleue
184×107cm

㊿部　分
detail
détail

(51)緑の館の謎　I
The Riddle of the Green Mansion I
Énigme du Château Vert I
122×110cm

(52)緑の館の謎　II
The Riddle of the Green Mansion II
Énigme du Château Vert II
143×105cm

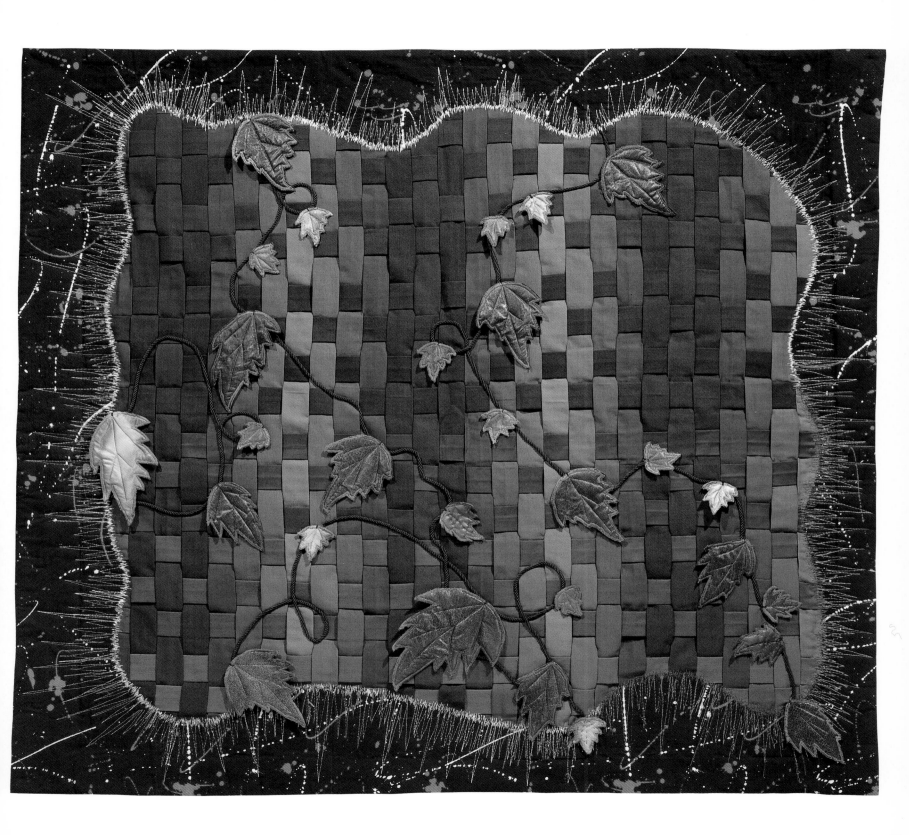

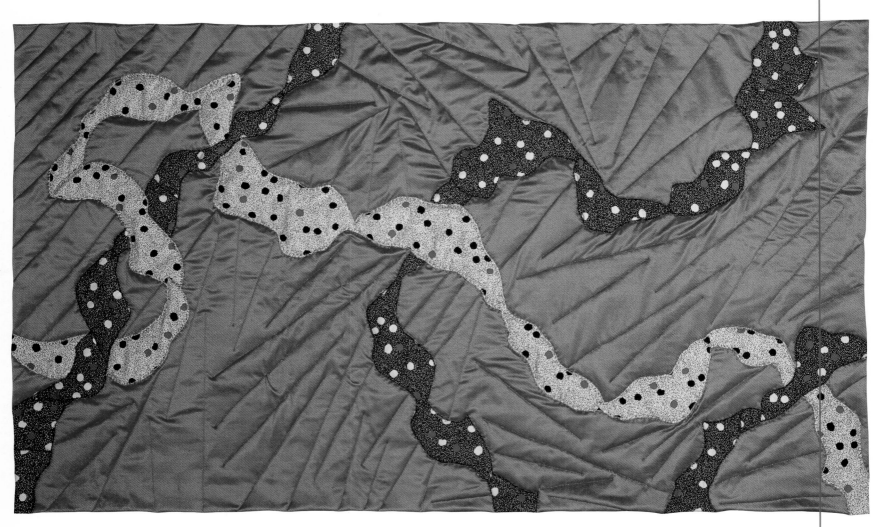

❸ 出逢いと戸惑い
Meeting and Disorientation
Rencontre et Désorientation
184×107cm

作 品 解 説

About the works

あとがき

制作協力

作品解説

❶竹　林
私は竹を見るといつもうれしく思う。一節ずつ、着実に伸びていく様を見ていると、まるで私にワンステップずつ、あせらずに生きていくことを教えているように思う。大風にも自然のままでなびき、風雨にも、雪の重さをもはねのける力強さを持っている。時々、雪の重さに耐えきれず、折れることもあるが、私は竹を見ていると力強さを感じる。

❷冬の香り
冬景色の松と水仙を描いた。水仙の部分は、古い着物地を使用し、松の部分はエンブロイダリーをしたあと、ペイントする。

❸梅香る
早春の梅林に咲く梅の花の香りはやさしく、訪れた人々の心を和ませてくれる。ベースにはエアーブラシをかけ、苔のついた幹の部分はアクリル絵具を使い、色を重ねた。

❹❺静夜の円舞曲Ⅱ
❻静夜の円舞曲Ⅲ
私の心は常に静と動が錯綜している。静の部分がこのようなイマジネーションを引き起こす。鶴の飛来地のスケッチからデフォルメした作品で、月夜に優雅に舞い飛ぶ鶴の群のイメージ。

❼春の宵
日本では桜の花が咲く頃、人々は昼、夜と宴を開き、桜の花を観賞する。風に舞い散る花びらを見ていると、まるで冬の風花のように思える。

❽白　藤
白藤の気品ある美しさは言葉では言い尽くせない程、心を落ち着かせてくれる。ベースはアクリルのエアーブラシを使用。

❾日本の四季
四季折々に咲く花や、季節を彩る枯葉が舞い散る様はフォーシーズンのある国でないと見られない。人は季節を通じて、時として感傷的になったり、ほのぼのとしたものを感じたりすると思う。私は日本の古典の美しさを取り入れた作品をシリーズでえがいているため、特に自然の美しさに興味を持ち、他の国を訪ねても一枚の枯葉でさえも感激して拾い上げてしまう。

❿季節の分水嶺を越えて
私は山歩きをすると、自然の美しさに魅了されて、いつの間にか山深く歩いてしまう。一枚の枝葉の色、幹の形とかが私をどんどん山深く誘ってしまう。秋も終わりに近づき、冬近い谷間には、まるで絵具を流したような、山間の紅葉した樹木がそびえ、枯葉を落とし、ずっしりとカーペット状になる。冬の訪れがそこまで来ている谷間の秋のフィナーレを彩っている。

⓫岩肌に伸びたツタ
岩肌に伸びたツタをスケッチし、キルトに表現したいと思い、ベースの布にエアーブラシをかけて、アップリケとエンブロイダリーでまとめた。

⓬夕暮れの岸辺
夕暮れの岸辺を散歩していると、川のよどみもアシ

の枝も夕焼けの色で変化して見える。ベースにはエアーブラシをかけ、アップリケをして、川のよどみの部分は、ガーゼを染めて一本ずつ引き抜いたものを重ねた。

⓭⓮白牡丹

ベースの部分はエアーブラシをかけ、花の部分はアップリケをして花芯はエンブロイダリーをする。

⓯秋風のバラード

広大な草原で秋風にすすきがなびいている様を見た時、遠く遥かなノスタルジアを感じさせられた。その時迷いがあった私は、自然にまかせよう——。時が解決するだろう、と思えた。

⓰弥生の月

日本の春は桜の花が、いっせいに咲きそろう。春のおぼろ月と桜の花は日本人だけでなく、日本を訪れる観光客も、ため息をついてしまう。私はこの美しい日本の自然美が永遠につづく平和を願っている。

⓱ノスタルジアJAPAN

日本を離れて、秋の季節が近づくと、日本の美しい秋を思い浮かべ、なつかしさとホームシックが重なり合ってしまう。中央と右下にある家紋は、祝事に使用されるフクサで、そのまま使用した。

⓲⓳着物—蒲

⓴着物—光

日本の浴衣地を使用して、キルティングしたあと、アップリケをする。蒲は私の好きな植物のひとつで、よく題材に用いている。

㉑光雲流水

雲の流れと川の流れのように、なりゆきにまかせて自然にさからわず、物を創り、考え、生きてゆきた

いと願っている。

㉒幽遠への誘いⅠ

㉓幽遠への誘いⅡ

遥か彼方の時代への誘いを着物の形でデフォルメした。伝統美の中からモダンを追求して、私は時代の流れを追って行く。その時代を回顧してみる時、私は日本の古典美をさらに深く感じ、伝統と伝承の素晴らしさを思い知らされるのだった。

㉔扇面Ⅰ—鳥

日本の古い着物の布を使用。扇面のシリーズは『キルトの世界—Ⅱ』から手がけているが、材料によってさまざまな表情が出せる。

㉕扇面Ⅱ—花

扇面のシリーズをはじめて、マシンのテクニックを使用。材質はコットン、シルク、アセートなど。ステッチにラメ糸を使った。

㉖扇面Ⅲ—鶴

鶴の部分を柔らかい日本の和紙を使用し、和紙にマシンステッチを施した。

㉗扇面Ⅳ—鶴

鶴の部分の布は日本の着物の裏地にネット状にスプレーをかけた。和紙との対比を見たら、それぞれの材質の個性があるように思える。

㉘想 い

出逢った時のときめきと、揺れ動く心の中は、不安で落ち着かず、まるで子供のようになってしまう。着物の布地を使用したこのテクニックのデザインのシリーズはすでに20キルト以上になっている。

㉙浪漫を求めて

自分の中の未知数を求めて私は旅をする。かりたて

る心が私を歩かせてしまう。私は自然の流れに逆らわず、自分が感じるままに歩いて行く。大空をはばたく鳥のように自由な気持ちで歩いて行く。

㉚㉛乱気流の中で
突然、予期せぬ乱れた気流に巻き込まれ、多勢の群れから離れてしまった一群。さまよう鳥の群れはパニックに落ち、突破口を探そうとする様をえがいた。

㉜大空への誘い
ナーヴァスになっている私の上を、鳥達はさまざまなシェープをえがきながら飛ぶ。まるで私に「お前も鳥になったら」と言っているかのように私の心を誘っているようだ。

㉝彷徨う群れ
大空を飛ぶ鳥の中でもそれぞれの群れがある。群れの中から離れる鳥もいれば、群れの中しか生きられない鳥もいると思える。それは人間社会においても言えることだ、と私は考える。

㉞大空のランデブー
私のキルトは鳥をえがいた作品が多いが、私自身鳥にはとても興味を持ちつづけているからだ。大空にはばたく鳥のように生きられたらと、日頃思い続けているからだと思う。

㉟リズム
人間の生き方はリズムと同じように思う。昨日と同じようでもどこかが違っている。人との出逢いも感じとる心も違いがあり、自然の動きもすべてリズムのように流れている。

㊱㊲深海の囁き
深い海の底からの囁きが聞こえる。耳をすましていると、魚や藻などが深夜になると囁き始める。私に

はサウンドが聞こえる。そのサウンドが私の心の中にひびいてくる。

㊳未知との遭遇II
人間は色々なシチュエーションの中で何かに出会い、何かを感じとる。私と私の心の中に住んでいるもう一人が、今日もまた、波調の合うものだけをセレクトし始めている。

㊴ウェーブ
小さな波、大きな波、さまざまなシェープをえがきながら光る波をキルト表現した。

㊵或る日の回想
岬を訪れ、歩き廻っている私の上を海鳥達はものめずらしげに飛ぶ。この岬は何か力強いものを感じられる。断崖絶壁にある岬ではないが、何故かそのように私は感じられ、強く、私の脳裏にインプットされている。

㊶星空からのメッセージ
透きとおった冬の夜の星空を見ると、さまざまな動きが連想される。見ている私へ、何かメッセージをなげかけているようだ。

㊷α海溝の探検
私は未知のフレキシビリティなものに憧れる。知らざる世界に足を入れて、何かを一つずつ見つけてゆく。今夜もまた、α海溝でだれかに会ったり、何かを見つけようとするだろう。

㊸㊹大空へ挑む
私はいつも何かに向かって挑む──。ブラックホールに落ちても、その瞬間、しばらく動かず、廻りをじっと観察し、次の波が来るのを待っている。その波が自分に近づいた時、私はいつもその波に挑戦す

る。何もしないでいるよりは挑戦することによってブラックホールからの突破口がみられるからだ。私は常に前向きに挑戦していきたい。

㊺ディスコに行った日

私は時々ディスコに行く。騒々しい音は余り好まないが、疲れ切った時、異なった環境の中に自分をゆだねる。踊っている人を見ると、異なったものが見えてくる。体が自然をリズムにのってゆく。

㊻契　り

人の出逢いはふとしたキッカケで始まり、何かが生まれていく。友情や愛情が芽生え、そして堅い契りが生まれる。

㊼㊽将来の展望

だれもが気にする将来、不安な事を考えると限りない。作られたレールの上を走ることの嫌いな私は、いつもレールのない所に自分でレールを作っていく。しかし、これからもギブアップはしないだろう。私自身の将来の夢を夢で終わらせたくないから——。

㊾㊿神秘なる蒼い谷

私の夢の中の蒼い谷は、永遠に人を近づけないゴールドのツタが生きのびていた。

(51)緑の館の謎Ⅰ

(52)緑の館の謎Ⅱ

私の夢の中に時々出てくる緑の館。その館に住む人の姿はなく、声だけが聞こえる。ある時は悲鳴が聞こえ、ある時はあざけ笑う声が聞こえる。私がノックすると、静かにドアが開き、ピアノの音がかすかに聞こえる。次の日に館を訪れると、館はツタに絡まれていてドアも開かなかった。

(53)出逢いと戸惑い

何かに出会い、誰かに出逢う。そして何かを感じるさまざまなシチュエーションの中で、人は感激したり、嘆き悲しんだりする。私も戸惑う気持ちを持ちながら、平然とした顔で歩いている。